KT-520-535

MITOS GREGOS

MITOS GREGOS

Recontados por Eric A. Kimmel

Ilustrações: Pep Montserrat

Tradução: Monica Stahel

wmf martinsfontes

Para Renée Rothauge, Princesa Guerreira – E.A.K.

Para as pessoas que eu amo, que de certo modo estão neste livro.
Obrigado a todas elas, especialmente a Gabo, que desfrutou e
sofreu o processo comigo de modo tão caloroso e próximo. – P.M.

1ª edição 2008
3ª edição 2013
12ª tiragem 2022

Tradução
MONICA STAHEL

Acompanhamento editorial
Luzia Aparecida dos Santos
Revisões
Ivani Aparecida Martins Cazarim
Luzia Aparecida dos Santos
Paginação
Moacir Katsumi Matsusaki

Dados Internacionais de Catalogação na Publicação (CIP)
(Câmara Brasileira do Livro, SP, Brasil)

Kimmel, Eric A.
Mitos gregos / recontados por Eric A. Kimmel ; ilustrações Pep Montserrat ; tradução Monica Stahel. – 3. ed. – São Paulo : WMF Martins Fontes, 2013.

Título original: The McElderry book of Greek myths.
ISBN 978-85-7827-682-9

1. Mitologia grega – Literatura juvenil I. Montserrat, Pep. II. Título.

13-02741 CDD-028.5

Índices para catálogo sistemático:
1. Mitologia grega : Literatura juvenil 028.5

Impresso na China

Editora WMF Martins Fontes Ltda.
Rua Prof. Laerte Ramos de Carvalho, 133 01325.030 São Paulo SP Brasil
Tel. (11) 3293.8150 e-mail: info@wmfmartinsfontes.com.br
http://www.wmfmartinsfontes.com.br

SUMÁRIO

Por que mitos gregos?

Por que se dar o trabalho de contar essas histórias antigas? A maioria delas remonta à Idade do Bronze, muitos séculos antes dos primeiros registros da história. Qual a importância desses contos para crianças que vivem num mundo de telefones celulares, internet, iPods e DVDs?

Pois sua importância é muito maior do que muita gente imagina.

Em primeiro lugar, são histórias muito bonitas. Antes mesmo de serem escritas, ao longo de muitas gerações os pais já as contavam a seus filhos. O herói que se lança numa busca perigosa, a heroína que luta para ir além do que sua cultura permite, a pessoa que ambiciona demais e fracassa, todos esses são temas de filmes a que assistimos e de livros que lemos nos dias de hoje.

Em segundo lugar, os mitos são a base de nossa linguagem e de nossa literatura. Encontramos referências à mitologia nas peças de Shakespeare. Os mitos estão presentes na nossa linguagem do dia a dia, em expressões como, por exemplo, "caixa de Pandora", "narcisismo", "fio de Ariadne".

Em terceiro lugar, os mitos estimulam nossa imaginação e nos inspiram a correr atrás de nossos sonhos. Há uma ligação clara entre as asas de Ícaro e a caminhada na lua de Neil Armstrong.

Os mitos expressam as esperanças e os sonhos da humanidade, portanto de cada um de nós.

PROMETEU

PROMETEU E SEU IRMÃO, Epimeteu, eram titãs, membros de uma raça de gigantes. No início dos tempos, os deuses travaram uma grande batalha contra os titãs para decidir quem governaria o universo. Os deuses venceram, e quase todos os titãs foram destruídos.

Os deuses criaram a terra a partir dos corpos dos adversários mortos. Com os ossos dos titãs fizeram os rochedos e as montanhas. Com o sangue fizeram o mar, os lagos e os rios. Fizeram as estrelas com seus olhos, o capim e as árvores com seus cabelos.

Como Prometeu e seu irmão tomaram o partido dos deuses, foram recompensados com a tarefa de povoar o mundo com seres vivos. Pela terra já rastejavam criaturas pálidas e disformes. Zeus, o rei dos deuses, entregou a Epimeteu uma grande quantidade de dons, encarregando-o de distribuí-los entre aquelas criaturas. Prometeu deveria inspecionar o trabalho do irmão, garantindo que cada ser recebesse de fato uma dádiva.

Epimeteu apressou-se em distribuir os dons dos deuses. A algumas criaturas ele deu a capacidade de voar, a outras o dom de nadar no mar. Algumas ganharam garras e dentes afiados. A outras foi dada a habilidade de correr, escavar e saltar. Algumas criaturas ganharam penas, outras receberam pelos. Algumas ganharam escamas, outras

receberam conchas. Também foram dádivas de Epimeteu a juba do leão, as listras da zebra, a tromba do elefante, a cauda do pavão, as manchas do leopardo.

Depois de repartir todos os dons, Epimeteu chamou Prometeu para ver o que ele tinha feito.

– Belo trabalho – disse Prometeu. Mas, ao notar duas criaturas muito frágeis, que rastejavam nuas pelo chão, ele perguntou: – E esses dois? São seres humanos. Não tem nada para lhes oferecer?

– Ora, eu me esqueci dos humanos! Nunca reparei neles – disse Epimeteu, muito confuso. – O que vamos fazer? Distribuí todos os dons de Zeus aos outros animais. Não sobrou nada.

– Precisamos achar alguma coisa para eles, caso contrário se tornarão as criaturas mais baixas e mais miseráveis da terra – disse Prometeu. – Já que não sobrou nada, vou ver o que encontro no monte Olimpo, onde moram os deuses.

Prometeu subiu até o alto do monte Olimpo. Levou junto uma tocha apagada, pois já sabia o que tentaria obter para dar aos seres humanos. Sem que ninguém visse, ele acendeu a tocha na roda do carro com que Apolo, deus do sol, atravessava o céu todos os dias.

Então Prometeu correu montanha abaixo e entregou a tocha acesa aos seres humanos, dizendo:

– Vocês serão fracos e nus para sempre. Nunca terão a força do elefante, nem a velocidade do cavalo, nem a astúcia da serpente, nem a majestade da águia. Mas, com a dádiva que estão recebendo agora, poderão dominar todos esses animais. Este é o fogo. Se o usarem com prudência, poderão governar o mundo. Se o usarem com imprudência, poderão destruir a si mesmos. A escolha é de vocês.

No início, os seres humanos usaram o fogo para se aquecer. Mais tarde, aprenderam a fazer roupas e ferramentas, aprenderam a caçar e a cultivar frutas e verduras. Construíram aldeias, depois povoados e cidades.

Os seres humanos tornaram-se senhores do mundo. Passaram a governar os outros animais, como fazem até hoje. Mas nem sempre se mostraram dignos da dádiva de Prometeu.

Zeus ficou furioso quando soube o que Prometeu fizera. De posse do fogo, os homens poderiam tornar-se poderosos e ousados. Talvez algum dia chegassem até a desafiar os deuses.

Então Zeus condenou Prometeu a um terrível castigo. Mandou acorrentá-lo a uma rocha, no topo de uma montanha. Lá, um abutre faminto vai sempre arrancar um pedaço de sua carne, que se recompõe à medida que é devorada.

Às vezes, quando sua tortura se torna insuportável, Prometeu solta gemidos e tenta soltar-se das correntes, fazendo a terra tremer. Por isso acontecem os terremotos.

A CAIXA DE PANDORA

EPIMETEU CHOROU por seu irmão Prometeu. Pediu clemência a Zeus.

– Quem rouba dos deuses merece punição – respondeu o rei dos deuses. – Esqueça seu irmão. O destino dele está traçado até o final dos tempos.

– E o que será de mim? – perguntou Epimeteu. – Todos os animais têm companhia. Os lobos andam em matilhas. Os peixes nadam em cardumes. Os pássaros voam em bandos. As zebras correm em manadas. Até as lesmas e os caracóis têm companheiros. Eu não tenho ninguém. Prometeu era mais do que um irmão, era meu único amigo. Sem ele estou completamente só.

Zeus teve pena de Epimeteu. Criou uma mulher para ser sua companheira, e todos os deuses a presentearam.

Ártemis deu-lhe força e coragem.

Atenas deu-lhe sabedoria.

Hera deu-lhe majestade e graça.

Hermes deu-lhe sabedoria e inteligência.

Afrodite deu-lhe beleza.

Apolo deu-lhe música e canto.

Os deuses a chamaram de Pandora, que significa "todos os dons".

Zeus conduziu Pandora à terra e a apresentou a Epimeteu. O titã chorou de alegria ao ver sua noiva e agradeceu aos deuses a dádiva maravilhosa, a mulher que viera lhe trazer o riso e a alegria. Pandora também ficou muito feliz por encontrar um noivo tão bonito, bom e apaixonado por ela. E todos os deuses desceram do Olimpo para celebrar o casamento de Epimeteu e Pandora.

Epimeteu levou a esposa para conhecer sua casa. Mostrou-lhe todos os cômodos, abriu todos os baús e armários para que ela visse o que havia em seu interior.

– Agora este é seu lar – ele disse. – Tudo o que está aqui é seu e meu.

No entanto, Pandora notou que o marido não abrira uma certa caixa.

– E esta? O que há aqui dentro? – ela perguntou.

– Nada que interesse – disse Epimeteu. – O que está aqui dentro não lhe diz respeito.

Pandora prometeu que nunca abriria a caixa. No entanto, intrigada, não conseguia deixar de pensar: “O que haverá dentro dessa caixa? Que segredo é esse que Epimeteu não quer revelar?”

Apesar da curiosidade, ela se mantinha fiel à sua promessa. Até evitava olhar para a caixa, embora continuasse cismada: "O que haverá dentro dessa caixa?"

De vez em quando, ao limpar a casa, Pandora varria o chão ao redor da caixa, sempre fazendo o possível para não tocar nela. Certo dia, já estava terminando a limpeza, recolhendo a poeira numa pá de lixo, quando ouviu uma voz que a chamava:

– Pandora! Pandora! Deixe-me sair daqui!

Era uma voz fininha e chorosa. Pandora olhou à sua volta. Quem estaria chamando por ela?

– Pandora! Pandora! – ela ouviu de novo.

Então Pandora percebeu que a voz saía da caixa misteriosa. Deixando a vassoura de lado, ela perguntou:

– Quem é você?

– Uma pobre criatura que precisa de ajuda. Fui encerrada nesta caixa com todos os meus irmãos e irmãs. Estão muito fracos, não conseguem falar. Estamos aqui há muito tempo, sem comer nem beber, sem luz nem ar. Tire-nos daqui, senão vamos acabar morrendo.

Pandora prometera a Epimeteu que não mexeria na caixa, mas os deuses lhe haviam conferido o dom da bondade

e da compaixão. Não poderia negar ajuda àquela criatura. Então ela pensou:

"Prometi não abrir a caixa. Mas levantar um pouquinho a tampa não significa abrir. Só vou dar uma olhada. Se eu vir alguma coisa terrível, voltarei a fechá-la na mesma hora."

Pandora se ajoelhou diante da caixa, ergueu ligeiramente a tampa e olhou pela fresta. Mas a caixa se escancarou deixando sair uma multidão de criaturas, que atacaram Pandora a mordidas e ferroadas, até fazê-la sangrar. Depois todas se foram.

Ao chegar em casa, Epimeteu encontrou a mulher caída no chão, toda machucada, com os olhos vermelhos de tanto chorar. A caixa aberta estava jogada de lado. Imediatamente ele entendeu o que tinha acontecido.

– Desculpe – disse Pandora. – Quebrei minha promessa. Uma voz me chamou de dentro da caixa e fui ver quem era. Só quis dar uma olhada, mas acabei estragando tudo.

– Não se culpe – disse Epimeteu, ajudando-a a se levantar. – Você cometeu um erro. A culpa foi minha, eu deveria ter explicado o que havia dentro da caixa e por que não deveria ser aberta. Quando distribuí as dádivas entre os animais, deixei de lado algumas coisas muito ruins, pois achava que ninguém as merecia. Eram coisas como tristeza, doença, miséria, desespero e muitas outras preocupações e desgraças. Não sabia o que fazer com elas, por isso guardei-as na caixa. Enquanto estivessem encerradas ali dentro não fariam mal a ninguém.

Mas eu sabia que não poderiam ficar trancadas para sempre e que algum dia acabariam saindo. Esse dia chegou e ninguém pode fazer mais nada. Esses distúrbios fazem parte da criação. Queiramos ou não, precisamos suportá-los.

Nesse instante, Pandora voltou a ouvir uma voz que a chamava, de dentro da caixa.

– Pandora! Não se esqueça de mim! Ainda estou aqui.

– Ah, não! Mais uma desgraça! – exclamou Epimeteu. – Talvez ainda seja possível detê-la.

Pandora e Epimeteu aproximaram-se da caixa e viram, no fundo dela, uma criatura brilhante, de asas douradas, que os olhava com um sorriso.

– Meu nome é Esperança – disse a criatura. – Não há por que me guardar numa caixa. Coloquem-me nos seus corações e ficarei com vocês para sempre. Enquanto tiverem Esperança, não precisarão temer misérias nem desgraças, serão capazes de superar tristezas e desespero. Enquanto tiverem Esperança, nada os derrotará.

Epimeteu e Pandora tiraram a Esperança da caixa. Abriram lugar em seus corações, onde ela se instalou para sempre.

PERSÉFONE E HADES

DEPOIS DE DERROTAR OS TITÃS, os deuses dividiram o universo entre si. Zeus tornou-se o soberano do céu e da terra. Seu irmão, Posêidon, tornou-se o senhor dos mares. Hades, seu segundo irmão, recebeu as profundezas da terra, o mundo subterrâneo, o inferno.

O reino subterrâneo era um lugar sombrio. Às vezes Hades sentia-se sufocado, ansioso por respirar ar puro e ver a luz do sol. Então atrelava quatro cavalos pretos a seu carro e dirigia-se a uma caverna sob o monte Etna que tinha saída para o mundo exterior.

Assim Hades chegava a um lugar muito especial. Era um vale tranquilo, onde ele gostava de passar horas deitado na relva ou apanhando flores. Ele achava que ninguém mais conhecia aquele vale, mas estava enganado. Afrodite, deusa do amor, e seu filho Eros também gostavam de passear naquele lugar.

Um dia em que estavam descansando debaixo das árvores, Eros perguntou à mãe:

– Por que você permitiu que Zeus e os irmãos dele dividissem o universo? Por que não exigiu um reino também para você?

Com um sorriso, Afrodite respondeu:

– Por que pediria um reino se toda a criação está sob meu poder? Os deuses governam o universo, mas eu governo os deuses.

– O que está querendo dizer? – perguntou Eros.

– Nenhum deus ou ser humano resiste ao poder do amor – disse Afrodite. – Quando se apaixonam, passo a governá-los.

– Isso pode ser verdade para a maioria, mas conheço alguém que é imune ao seu poder – disse Eros.

– Quem? – ela quis saber.

– Aquele ser que lá está – disse Eros, apontando para Hades, que passeava com seu carro pelo vale oculto.

– Você acha? – desafiou Afrodite. – Pois então me dê seu arco e uma flecha. Vou provar que está enganado.

As flechas de Eros tinham um poder especial. Quem era atingido por elas apaixonava-se imediatamente. Afrodite ajustou a flecha ao arco, mirou seu alvo e atirou. A flecha foi se cravar bem no coração de Hades.

"O que é isso?", Hades pensou, levando a mão ao peito. "Está acontecendo algo estranho."

E ele continuou dirigindo seu carro através do vale, suspirando como um adolescente apaixonado e cantarolando:

– Eu amo as árvores! Amo as flores! Amo a luz do sol! E, mais do que tudo...

Então ele avistou uma moça que apanhava flores no campo. Era Perséfone, filha de Deméter, deusa das colheitas, das plantações e de toda a terra cultivada.

– ... amo você! – Hades gritou, avançando com seu carro na direção da moça. – Linda menina, case-se comigo! Seja minha para sempre!

Perséfone deu um grito. O senhor do inferno era aterrador, ainda mais com aquela expressão de cobiça estampada no rosto. Perséfone agarrou seu cesto de flores e saiu correndo. Hades foi atrás dela.

– Não fuja de mim! Deixe-me ver de perto seu rostinho tão lindo!

– Mãe! Socorro! – Perséfone gritava.

Hades acabou por alcançá-la e agarrou-a pela cintura. Uma fenda do chão se alargou, e ele fez os cavalos entrarem por ela. O chão voltou a se fechar, e tudo o que restou foi uma pequena rachadura, um cesto vazio e algumas flores desfeitas espalhadas sobre a relva.

Deméter começou a se preocupar com a demora da filha, e quase enlouqueceu de aflição ao constatar que ela havia desaparecido. Passou a procurá-la por toda parte, dia e noite, com a ajuda do sol, da lua e das estrelas. Mas não encontrava nem sinal de Perséfone.

Em sua busca, Deméter acabou chegando à ilha da Sicília. Lá a deusa viu uma longa faixa enredada num arbusto: era o cinto de linho que ela havia tecido para a filha.

"Minha filha esteve aqui", Deméter pensou. E pediu aos pássaros e aos insetos que a ajudassem em sua busca. Eles procuraram por todos os lados, embaixo de todas as pedras e atrás de todas as moitas. Finalmente encontraram a cesta e as flores despedaçadas. Seguindo o rasto das flores, Deméter chegou à beira do rio. Então viu as marcas das rodas do carro, que levavam até uma rachadura na terra.

– Hades raptou Perséfone – a deusa gritou. – Vou falar com Zeus para que ele tome providências.

Deméter foi até o monte Olimpo e pediu que Zeus mandasse Hades libertar Perséfone.

– Não posso fazer isso – disse Zeus. – Hades é meu irmão, não é meu súdito. Não posso exigir nada dele.

– Ouça, Zeus – Deméter ameaçou –, se Perséfone não voltar, vou amaldiçoar a terra. Não haverá mais chuvas. As colheitas secarão nos campos, não haverá mais vida na terra.

Zeus, então, prometeu ajudá-la. Chamou Hermes, seu mensageiro, e ordenou:

– Vá com Deméter até Hades. Tente convencer meu irmão a fazer o que é correto.

Hermes e Deméter passaram pelos portões do mundo subterrâneo. Atravessaram o rio Estige e andaram por cavernas intermináveis, até encontrar o senhor dos mortos. Hades estava em seu trono. Sentada a seu lado, Perséfone trazia uma coroa de ouro na cabeça.

Deméter abriu os braços e gritou:

– Perséfone, minha filha! Vim libertá-la deste reino de sombras!

– Mãe! – exclamou Perséfone. – Estou feliz em vê-la!

O encontro com a filha não foi como Deméter imaginara. Esperava encontrá-la assustada e cheia de medo, no entanto Perséfone estava feliz.

– Deméter, Hermes, sejam bem-vindos a meu reino – disse Hades. – Espero que tenham vindo para passar algum tempo conosco. Terei grande prazer em hospedá-los.

– Vim para buscar minha filha. Não ficarei aqui nem um minuto a mais do que o necessário – Deméter retrucou.

– Mas eu não quero ir embora – disse Perséfone. – Hades errou ao me raptar. Ele se arrependeu e eu o perdoei. Afrodite o atingiu com uma flecha de Eros e ele se apaixonou perdidamente. Agora eu também o amo. Hades é bom, gentil e faz tudo para me agradar. Os mortos já não me assustam e estou aprendendo muito neste mundo subterrâneo. Não quero sair daqui.

– Não permito que você fique. Devolva essa coroa a Hades e venha comigo – disse Deméter.

– Perséfone é sua filha, mas agora também é minha esposa – disse Hades. – Não pode levá-la se essa não for a vontade dela.

Hermes então resolveu interferir.

– Você trouxe Perséfone sem o consentimento da mãe. Pelas leis do mundo lá de cima, esse casamento não tem valor – ele disse para Hades. Depois voltou-se para Deméter: – Pelas leis do mundo subterrâneo, nenhuma alma, viva ou morta, poderá deixar este lugar depois de ter comido qualquer coisa, nem que seja do tamanho de uma semente de romã. Precisamos saber, então, se Perséfone comeu alguma coisa depois que chegou.

– Apenas seis sementes de romã – Perséfone respondeu.

– Então ela vai ficar comigo! – concluiu Hades, exultante.

– Se ela ficar, destruirei o mundo! – Deméter ameaçou.

– Ajude-me, Hermes – pediu Perséfone. – Como posso agradar à minha mãe e ao meu marido ao mesmo tempo?

– As seis sementes de romã que você comeu fizeram-me ter uma ideia – disse Hermes. – Fique seis meses

por ano com seu marido, no reino subterrâneo, e os outros seis meses com sua mãe.

– Obrigada, Hermes – disse Perséfone. – Desse modo, não perderei nem minha mãe nem meu marido.

Quando Perséfone vem passar os seis meses com a mãe, Deméter manifesta sua alegria e abençoa a terra. As colheitas amadurecem nos campos. As árvores se enchem de flores. O mundo se enche de luz e calor. É o tempo da primavera e do verão.

Depois, é hora de Perséfone voltar para junto do marido. O frio toma conta do mundo. O vento derruba as folhas secas das árvores. Durante seis meses, Deméter se recolhe para chorar de saudade da filha. Mas no fundo de seu coração a chama da esperança continua acesa, pois ela sabe que a primavera sempre volta.

ECO E NARCISO

ECO ERA UMA NINFA DA FLORESTA, bonita e gentil. Ártemis, deusa da lua, a estimava muito e, quando ia caçar na floresta, sempre a chamava para lhe fazer companhia.

Eco, no entanto, tinha um defeito. Gostava muito de falar. Não lhe importava que as pessoas não ouvissem o que dizia. Quando começava a tagarelar, era difícil fazê-la parar.

Certa vez, Hera, rainha dos deuses, foi visitar Ártemis. As duas mal conseguiam conversar, pois Eco as interrompia a todo instante. Ártemis a advertiu, pedindo que se calasse, mas a ninfa não lhe deu atenção. Ela falava tanto, que Hera acabou perdendo a paciência.

– Já que gosta de falar, então fale. Só que nunca mais poderá começar uma conversa. Já que gosta de ter a última palavra, você a terá sempre. Mas nunca mais dirá palavras suas. Eu a condeno a sempre repetir as palavras de outras pessoas.

– Palavras de outras pessoas – disse Eco. – ... pessoas.

De fato, a partir de então a ninfa Eco já não conseguia dizer suas próprias palavras.

Então Eco deixou as outras ninfas e foi viver numa região da floresta aonde raramente chegava alguém. Ela passou muito tempo

sem falar nada. Um dia, um jovem caçador vagava por aquele lugar. Era um rapaz lindíssimo, chamado Narciso. Escondida atrás das árvores, Eco o observava. Ficou morrendo de vontade de falar com Narciso, mas seria incapaz de dizer uma só palavra antes que ele falasse.

E Eco o seguiu através da floresta. Depois de um tempo, Narciso a notou e, com um sorriso, chamou.

– Olá? Quem é você? Como é seu nome?

– Como é seu nome... seu nome... seu nome... – disse Eco.

– Meu nome é Narciso – ele respondeu. – Vim à floresta para caçar. Agora é sua vez, diga seu nome.

– Diga seu nome…
nome… nome… – disse Eco.

– Eu já disse meu nome. Eu me chamo Narciso. Você não ouviu?

– Não ouviu… ouviu… ouviu – Eco respondeu.

Narciso começou a se irritar.

– Está querendo brincar? Não gosto que zombem de mim. Se quiser conversar, responda direito. Senão vá embora.

– Vá embora… embora… embora… – disse Eco.

A pobre ninfa não sabia o que fazer. Como poderia explicar a Narciso que só conseguia repetir as palavras dele? Eco saiu de trás da árvore e, de braços abertos, correu ao encontro do rapaz. Queria que ele compreendesse que desejava ser sua amiga.

Mas Narciso continuou achando que Eco estava zombando dele.

– Não me mande embora. Vá embora você! – ele disse.

Narciso derrubou a ninfa com um empurrão. Caída no chão, ela começou a chorar. Lágrimas rolavam por seu rosto, mas nenhuma palavra saía de seus lábios.

– Pode chorar à vontade – disse Narciso –, suas lágrimas não me comovem. Cada um tem o que merece.

E Narciso foi embora, carregando nos ombros o arco e as flechas. Eco tentou chamá-lo de volta, mas só conseguia dizer:

– Tem o que merece... o que merece...

Com o coração dilacerado, Eco foi murchando. Foi sumindo devagarinho, até se tornar apenas uma sombra no meio das folhas da floresta. Por fim, a sombra também desapareceu. De Eco só restou a voz, sempre repetindo as palavras dos outros.

Até hoje podemos ouvi-la entre colinas e montanhas, repetindo o que dizemos.

E o que foi feito de Narciso? Ártemis resolveu castigá-lo por ele ter sido tão cruel com Eco. A deusa fez aparecer na floresta uma linda fonte, de águas prateadas e brilhantes. Mergulhou nela uma de suas flechas e conferiu ao espelho de suas águas o poder mágico de tornar mais belas as imagens que refletia.

Uma tarde, depois de caçar durante horas, Narciso ajoelhou-se ao lado da fonte, cansado e sedento. Então ele viu seu rosto refletido na água. Era a imagem de um rapaz lindo e cheio de vida. Narciso não se reconheceu, e se apaixonou por aquela pessoa encantadora.

– Fala comigo – ele disse. – Como é teu nome?

A imagem refletida na água moveu os lábios mas não disse nada. Narciso tentou beijá-la, mas a imagem desapareceu no momento em que seus lábios tocaram a fonte.

– Bela criatura, mesmo que eu não possa te tocar, jamais deixarei de te admirar – Narciso suspirou.

A partir de então, Narciso passava os dias sentado ao lado da fonte, admirando sua própria imagem. O rapaz não comia, não dormia, foi se tornando fraco e pálido. Seu corpo definhava. Ele se sentia desvanecer, mas não conseguia se afastar daquele lugar.

– Ai de mim! – ele dizia à sua imagem refletida. – Se pelo menos eu pudesse dizer quanto te amo!

Então Narciso morreu. E Eco repetiu suas últimas palavras por muito, muito tempo:

– ... quanto te amo... quanto te amo...

As ninfas saíram em busca de Narciso para enterrá-lo. Mas, no lugar onde ele morrera, encontraram apenas uma bela flor, que parecia uma trombeta dourada cercada por pétalas amarelas.

Essa flor se chama narciso, em memória do pobre rapaz que morreu de amor por si mesmo.

ARACNE

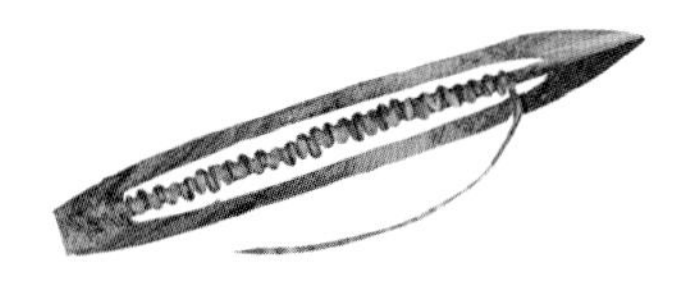

Era uma vez uma jovem chamada Aracne que sabia tecer e fiar como ninguém. Era capaz de transformar o mais rude velo de carneiro em lã leve e fofa como uma nuvem. Sua roca parecia girar sozinha, transformando as fibras que passavam por seus dedos em fio macio e regular. Quando ela tecia, a lançadeira parecia dançar através do tear.

Todos apreciavam o trabalho de Aracne. Certo dia, um rei foi à sua casa para buscar um manto que lhe havia encomendado. Ao colocá-lo nos ombros, ele disse:

– Só Atena seria capaz de fazer um manto mais lindo do que este!

Espantada, Aracne retrucou:

– Como sabe que o trabalho de Atena é melhor do que o meu? Por acaso alguém já viu algum fio ou tecido feito por ela?

– Atena é a deusa da sabedoria – replicou o rei. – Foi ela que ensinou os seres humanos a fiar e tecer. Ela inventou essas artes. Ninguém consegue superá-la.

– Fazer primeiro não significa fazer melhor – disse Aracne. – Sei fiar e tecer melhor do que minha mãe, embora tenha aprendido essas artes com ela. Desafio Atena a mostrar seu trabalho. Só assim será possível provar quem de nós duas é a melhor.

O rei foi-se embora na mesma hora, chocado com as palavras da moça. Uma velha que tinha ouvido tudo falou:

– Menina, retire suas palavras. Não se deve desrespeitar Atena. Ela é uma deusa, e sua habilidade não pode ser comparada à de nenhum ser humano. O poder dos deuses é muito maior do que imaginamos, e ninguém deve desafiá-lo.

– Pois não acredito em nada disso – respondeu Aracne, altiva. – Quero comparar meu trabalho ao dela, sim. O mundo dirá quem é a melhor. Ela que aceite meu desafio, se tiver coragem.

– Coragem não lhe falta, pode ter certeza! – e a velha se afastou, com seu andar arrastado.

E diante de Aracne surgiu Atena, em sua plena majestade. A um gesto seu, dois teares apareceram.

– Aceito seu desafio – disse Atena. – Cada uma de nós fará uma tapeçaria. Um júri composto por deuses e seres humanos apontará a vencedora.

Aracne e Atena puseram-se a trabalhar. Seus dedos esvoaçavam sobre os fios, fazendo surgir em seus teares as mais belas cores e desenhos.

A deusa escolheu o céu como tema. Fez a lua e as estrelas com fio dourado, destacando-se sobre um belo fundo azul escuro. As estrelas cintilavam. As constelações pareciam adquirir vida. Órion, o caçador, caminhava pelo céu empunhando sua clava e com seu cinto cravejado de estrelas reluzentes. Escorpião brandia a cauda. Leão abria a mandíbula, rugindo. Touro baixava a cabeça, pronto para investir.

Atena parou um pouco para descansar e lançou os olhos sobre o trabalho da rival.

O tema de Aracne eram os feitos benéficos e maléficos dos deuses. Um abutre sobrevoava o rochedo a que Prometeu aparecia acorrentado. À direita, Ares, deus da guerra, se regozijava. À esquerda, Afrodite casava-se com Hefesto, o deus feio e manco da forja.

Atena estremeceu de raiva. O trabalho de Aracne era comparável ao seu, mas a ousadia da moça era imperdoável. Então a deusa disse:

– Aracne, você provou que tem habilidade. No entanto, não posso permitir que esta competição continue, pois jamais alguém ousaria declarar que uma simples mulher é mais habilidosa do que uma deusa. Se você concordar, eu lhe concederei um dom.

– Que dom é esse? – quis saber Aracne.

– Farei de você a melhor fiandeira e tecelã que já existiu – disse Atena. – Ninguém poderá superá-la. Os fios produzidos por você serão os mais resistentes, embora mais finos do que seda. De manhãzinha, quando o chão estiver molhado de orvalho, sua teia se cobrirá de diamantes cintilantes. Tecer lhe fornecerá seu alimento, você nunca passará fome. Sua habilidade se transmitirá a suas filhas, e assim será de geração em geração. Todas as suas descendentes serão grandes tecelãs. Aceita esse dom, Aracne?

– Aceito, sim! – respondeu a moça, com os olhos brilhando, ambiciosos.

– Então, que minha promessa se cumpra – disse Atena, tocando a testa de Aracne com seu fuso.

Na mesma hora, os cabelos da moça caíram. Seu nariz e suas orelhas sumiram. De cada lado de seu corpo surgiram quatro patas. Vários olhos apareceram em sua testa. E ela foi se encolhendo, tornou-se diminuta, e saiu rastejando. Aracne subiu numa árvore e se pendurou num longo fio, produzido dentro de seu próprio corpo. Ela tinha se transformado em aranha.

Assim, Atena cumpriu sua promessa, mas de maneira diferente do que Aracne imaginara.

As aranhas são criaturas notáveis. Produzem fios mais finos e delicados do que seda, embora muito resistentes. Elas se alimentam dos líquidos dos insetos que prendem em suas teias. De manhã, sob os primeiros raios do sol, as teias de aranha cheias de orvalho cintilam como diamantes.

E todas as descendentes de Aracne, as aranhas do mundo todo, são grandes fiandeiras e tecelãs.

PIGMALIÃO E GALATÉIA

PIGMALIÃO ERA ESCULTOR, o maior de toda a Grécia. Ao observar suas estátuas de mármore, tinha-se a impressão de que a qualquer momento desceriam de seus pedestais e sairiam andando pelo mundo dos vivos. Muita gente jurava que as via respirar.

Os sacerdotes do templo de Pafos, na ilha de Chipre, encomendaram a Pigmalião uma estátua da deusa Afrodite.

Para criar uma estátua maravilhosa, digna do templo da deusa do amor, o escultor escolheu um bloco do mais puro mármore branco. Veios azuis muito finos corriam através da pedra, dando-lhe o aspecto da epiderme humana. E Pigmalião se pôs a trabalhar. Martelava, cinzelava e entalhava dia e noite, sem descanso. Era como se a deusa o chamasse de dentro da pedra, pedindo que a deixasse sair.

– Vou te soltar – dizia Pigmalião, sempre esculpindo.

Finalmente a estátua ficou pronta e Pigmalião pousou seus instrumentos. Mas, em vez de se alegrar, ele se pôs a chorar, pois teria de convocar os sacerdotes de Pafos e eles levariam a encomenda embora. Pigmalião não suportava a ideia de se separar daquela estátua, a mais linda que já havia criado. Sentou-se diante dela para contemplá-la, e lá ficou durante horas.

Quanto mais olhava para a estátua, mais a adorava. O escultor estava apaixonado por sua obra, embora ela fosse de pedra. Amava-a como a uma mulher de verdade, e deu-lhe o nome de Galateia.

Pigmalião pintou os lábios de Galateia de vermelho e seus olhos de azul. E seus cabelos de mármore branco ele pintou de dourado brilhante.

Com as novas cores, Galateia parecia mais viva ainda. Pigmalião vestiu-a com uma túnica de fina lã. Colocou-lhe anéis nos dedos, pulseiras nos braços e um colar de ouro no pescoço.

– Olha para mim! Fala comigo! – Pigmalião implorou então. – Eu te amo!

Os olhos de Galateia não piscavam. Seus lábios não se moviam. Quando Pigmalião a abraçava, seus braços envolviam a pedra dura e fria.

Finalmente os sacerdotes de Pafos foram ter com Pigmalião.

– Onde está nossa estátua? Por que está demorando tanto?

Pigmalião prometeu que logo a terminaria. Arranjou um outro bloco de mármore e fez outra estátua de Afrodite. Também era muito bonita, mas não tanto quanto Galateia.

Os sacerdotes de Pafos ficaram satisfeitos e levaram a estátua para seu templo.

Pigmalião ficou com Galateia. Mas aquela estátua estava acabando com ele. Pigmalião deixou de comer, deixou de dormir. Passava os dias e as noites admirando a mulher que havia criado. Sentia-se definhar aos poucos, sabia que acabaria morrendo.

Então ajoelhou-se diante de Galateia e, com as poucas forças que ainda lhe restavam, fez uma prece a Afrodite:

– Afrodite, deusa do amor, ouve minha voz. Já que Galateia não pode ser minha, tira-me a vida. Deixa-me encontrar a paz na morte!

Pigmalião deitou-se no chão, esperando a morte chegar. Então sentiu uma mão suave tocar-lhe a face. Levantou os olhos e viu Galateia. Ela descera do pedestal e seu rosto estava radiante de amor.

Galateia deixara de ser estátua. Tranformara-se numa mulher de carne e osso.

– Levanta, Pigmalião – ela disse. – A deusa ouviu tua prece. Teu amor foi tão grande que chegou a meu coração. Afrodite me deu vida, para que eu pudesse te amar também.

Logo Pigmalião e Galateia se casaram. Ao longo dos muitos anos que viveram juntos, seu amor só fez crescer e se fortalecer. E, no final, Afrodite lhes concedeu uma última bênção. Suas almas deixaram seus corpos ao mesmo tempo, para que nunca tivessem que se separar.

REI MIDAS E O TOQUE DE OURO

Midas, rei da Frígia, era o homem mais rico do mundo. Arcas e mais arcas cheias de ouro, prata e pedras preciosas amontoavam-se na sua casa de tesouros. Midas tinha mais dinheiro do que é possível imaginar, mas para ele não bastava.

Midas mergulhava os braços em suas arcas de moedas e murmurava:

– Quero mais ouro!

Midas enfiava as mãos em suas arcas de pedras preciosas, e, enquanto diamantes e rubis escorriam-lhe por entre os dedos, ele exclamava, ganancioso:

– Quero mais joias!

Entre as paredes da casa em que guardava seus tesouros, Midas gritava:

– Mais! Mais! Mais!

E o eco repetia:

– Mais!

Um dia, ao passar por ali, o deus Dioniso ouviu os gritos de Midas. Olhou pelas grades da janela e viu o rei rolando num monte de moedas de ouro, como um porco chafurdando na lama. Era uma cena tão ridícula, que Dioniso se pôs a rir.

– Está rindo de mim? – perguntou o rei Midas.

– É claro! Você parece um tolo! – disse Dioniso.

– Não me importa o que acha – retrucou Midas. – Adoro dinheiro, e quero ganhar cada vez mais.

– Deveria pensar mais em dar do que em ganhar – replicou Dioniso. – Por que não usa sua riqueza para dar de comer aos famintos? De que adianta ter tanto dinheiro só para guardar?

– Dar meu dinheiro? De jeito nenhum – disse Midas. – Quem me dera obter o Toque de Ouro. Como eu seria feliz se tudo o que eu tocasse se transformasse em ouro!

– Você acha mesmo que seria mais feliz assim? – perguntou Dioniso, com ar de incredulidade.

– Tenho certeza! – respondeu Midas.

– Quero só ver – sussurrou Dioniso, afastando-se.

“Que sujeito estranho!”, pensou Midas. “Que ideia! Dividir minha riqueza com os outros! Não posso permitir que esse louco fique perambulando pelo meu reino. Preciso tomar alguma providência.”

O rei saiu da casa do tesouro, fechou a porta pesada e a trancou com uma imensa chave de ferro. De repente ele percebeu que alguma coisa havia mudado. A porta brilhava tanto que seus olhos se ofuscaram. Era isso! A madeira da porta havia se transformado em ouro, assim como o ferro da chave que ele segurava. Midas não cabia em si de contente! Os deuses haviam atendido o seu desejo. Tudo o que ele tocava transformava-se em ouro!

Midas saiu correndo pelo jardim, tocando as árvores e as flores. Tudo se transformou em ouro. Também se transformaram em ouro a água do laguinho, os sapos, as flores e folhas das ninfeias e os peixes. A grama sob os pés de Midas também se transformou em ouro.

Midas estava tão feliz que nem notou as outras mudanças em seu jardim. As flores de ouro já não exalavam perfume. O farfalhar das folhas ao vento era agora um barulho alto, um terrível retinir de metal. Os peixes não chapinhavam na água, os sapos não coaxavam e as folhas de grama cortavam os calcanhares de Midas, como lâminas afiadas. O jardim, antes muito colorido, agora era todo amarelo cor de ouro.

Midas correu até seu palácio. Ordenou aos criados que preparassem uma refeição sem igual para comemorar sua sorte e convocou toda a família e os amigos para participarem da festa.

O banquete foi servido, composto por iguarias finas e vinhos raros. Num gesto largo, Midas ergueu sua taça para brindar, e imediatamente ela se transformou em ouro. Houve uma exclamação de espanto.

– Um brinde ao rei mais rico da terra, que se tornará cada dia mais rico! – Midas declarou.

– Ao rei! – responderam os presentes. E todos beberam, menos Midas, pois o vinho transformou-se em frio ouro assim que tocou seus lábios.

Deixando a taça de lado, ele declarou iniciadas as comemorações. Os convivas começaram a comer. Midas também tentou, mas tudo o que lhe tocava a boca transformava-se em ouro.

Niobe, o gato do rei, pulou no colo do dono e imediatamente transformou-se em ouro. Seu cão, Ajax, lambeu-lhe a mão e teve o mesmo destino. Então Midas compreendeu tudo e uma expressão de pavor instalou-se em seu rosto. Os convidados o fitavam sem saber o que fazer. Phoebe, sua filha adorada, levantou-se e correu para ele, preocupada.

– O que foi, papai? Está se sentindo mal?

Antes que o pai conseguisse detê-la, ela pôs a mão em sua testa e imediatamente se transformou numa estátua de ouro.

Midas jogou-se da cadeira, rolando no chão, desesperado.

– Sou o rei mais rico do mundo, mas sou o mais pobre ser humano. Agora sei o que os deuses quiseram me ensinar. O Toque de Ouro é uma maldição. Destruiu minha filha amada, meus animais de estimação e vai continuar me privando de tudo o que é importante para mim. De que serve minha riqueza se não posso ter nem um copo de água ou um pedaço de pão seco? Meu dinheiro não poderá impedir que eu sinta fome, sede, medo e solidão. Aprendi tarde demais a reconhecer o que é importante de fato.

– Você sempre foi um homem bom, acontece que o brilho do ouro ofuscou seus olhos – disse uma voz.

Midas levantou os olhos e viu Dioniso à sua frente. Ajoelhou-se diante do deus e disse:

– Desculpe-me de minha ambição. Desculpe-me de só pensar em mim.

– Você aprendeu a lição, não há razão para se atormentar.

Com um gesto de Dioniso, um imenso arco-íris se formou. Midas fechou os olhos e, quando voltou a abri-los, viu-se de novo sentado à mesa de banquete. De pé a seu lado, Phoebe lhe falava carinhosamente. Ajax lambia-lhe a mão e Niobe ronronava, instalada em seu colo.

– Por favor, tragam-me uma fatia de pão e um copo de água – Midas pediu.

Nunca ele comeu e bebeu com tanto prazer. Tocava os pratos, os guardanapos, a toalha e suspirava de alívio ao ver que nada acontecia. Nada se transformava em ouro. Uma brisa leve entrou pela janela, trazendo o perfume suave das flores do jardim.

O Toque de Ouro acabara-se para sempre.

– Abram as portas de meu palácio e convidem todos os habitantes do reino para participar deste banquete – Midas ordenou.

A partir daquele dia, Midas passou a partilhar suas riquezas com quem precisava. Deixou de ser o rei mais rico do mundo, mas certamente tornou-se o mais querido.

ORFEU E EURÍDICE

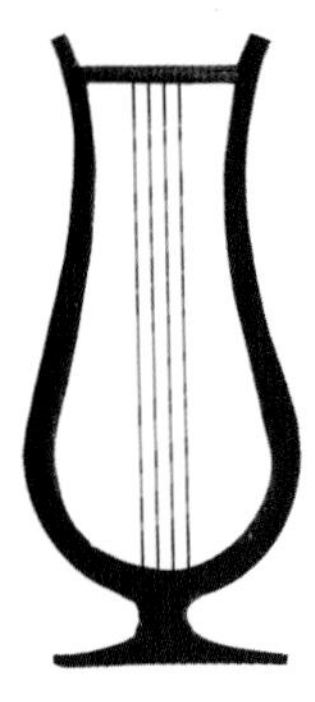

QUANDO ERA MENINO, Orfeu ganhou uma lira de Apolo, o deus-sol. As nove musas, inpiradoras da arte e da poesia, ensinaram Orfeu a tocar a lira, e ele se apaixonou pela música. Tocava seu instrumento durante horas a fio.

Logo Orfeu se tornou tão hábil que passou a criar suas próprias músicas. Eram tão lindas que os lavradores largavam o arado, os pastores esqueciam seus rebanhos e até os pescadores deixavam suas redes para ouvir as canções de Orfeu que o vento levava até eles.

Os animais também gostavam de sua música. Quando Orfeu começava a tocar e cantar, lobos, ursos e leões vinham apoiar a cabeça em seu colo para ouvi-lo, serpentes enroscavam-se em seus pés e até as árvores e as pedras começavam a dançar.

Quando se tornou adulto, Orfeu participou de uma aventura que todos conhecem por "A busca do Velocino de Ouro". E, quando voltou, apaixonou-se por uma moça chamada Eurídice.

Eurídice morava na floresta. Era boa, meiga e sabia de cor todas as músicas de Orfeu. Os dois às vezes cantavam juntos, e o amor que um sentia pelo outro tornava as canções mais bonitas ainda.

Apolo e as musas compareceram ao casamento de Orfeu e Eurídice. Quando a cerimônia se iniciou, todas as tochas começaram a

crepitar. O templo se encheu de fumaça, e os convidados, com os olhos irritados, puseram-se a chorar.

Lágrimas em casamento eram um terrível presságio. Significavam que um destino trágico aguardava o casal.

E o presságio se realizou. Eurídice estava andando pela floresta quando uma serpente picou-lhe o calcanhar. O veneno circulou rapidamente por suas veias e ela caiu sobre um monte de folhas. Quando Orfeu a encontrou, ela já tinha ido para o reino dos mortos.

Com o coração dilacerado, Orfeu jurou ir atrás de Eurídice e trazê-la de volta para o reino dos vivos. Assim, ele foi até a caverna que levava ao mundo subterrâneo e abriu caminho em meio à multidão de espíritos, para chegar ao rio Estige. Lá encontrou Caronte, o barqueiro que fazia a travessia do rio.

– Volte – disse Caronte. – Nenhum ser humano vivo pode passar daqui.

Cérbero, o cão de três cabeças que guardava o inferno, mostrava os dentes e grunhia. Mas o rapaz não desistiu. Tomou sua lira e pôs-se a tocá-la.

Orfeu cantou seu amor por Eurídice e falou da sua imensa dor pela perda da esposa. Sua música fez os olhos de Caronte se encherem de lágrimas. Cérbero encolheu as três cabeças e se pôs a uivar tristemente. Os espíritos dos mortos, que até então haviam abandonado todos os sentimentos de amor, alegria e compaixão, começaram a chorar.

– Vou levá-lo para o outro lado – disse Caronte. – Fale com Hades, rei do inferno, e com sua esposa Perséfone. Eles decidirão o que fazer.

Enquanto Orfeu caminhava pelos corredores escuros do inferno, sempre tocando sua lira, os gritos e os gemidos de todo o mundo subterrâneo cessavam para ouvi-lo. Então ele chegou diante de Hades, senhor dos mortos.

– Vim pedir por minha esposa, Eurídice, cuja vida foi arrancada – ele disse. – Não consigo viver sem ela. Tenha piedade de nós. Deixe-me levá-la de volta ao mundo dos vivos. Senão, permita que eu permaneça aqui, em seu reino, ao lado dela.

– Isso não posso fazer – disse Hades –, pois você está vivo, e os vivos não podem permanecer aqui. Eurídice está morta. Os mortos não podem voltar para junto dos que eles deixaram.

Chorando, Orfeu pegou sua lira e recomeçou a tocar, mais uma vez transformando sua dor em música.

Estarei vivo, sonhando com a morte?
Estarei morto, sonhando com a vida?
No reino dos mortos não tenho lugar
No reino dos vivos é igual minha sorte
Pois não sei viver sem minha querida.

Lágrimas corriam pelo rosto de Hades. As paredes das cavernas do inferno tremiam quando o senhor do mundo subterrâneo chorava. Lágrimas corriam pelo rosto da rainha Perséfone. E, quando Orfeu terminou sua canção, ela falou:

– Pense bem, meu marido. Afinal, eu mesma não volto ao mundo dos vivos todos os anos? Tenha piedade de Orfeu e Eurídice. O que temos a perder? No final os dois voltarão para nós. Deixe-os viver a alegria e o amor por algum tempo.

Suas palavras derreteram o coração de Hades.

– A alma de Eurídice que se apresente – ele ordenou.

Dentre as almas dos mortos, a de Eurídice se adiantou, mancando com o pé ferido pela picada da serpente. Seu rosto pálido iluminou-se ao ver Orfeu.

– Orfeu, meu amado – ela exclamou.

– Sou eu, sim. Vim buscá-la para voltar comigo ao mundo dos vivos – disse Orfeu.

– Pode levá-la – disse Hades. – Vá andando na frente, ela o seguirá. Mas lembre-se: não se vire para trás antes que ambos tenham chegado ao mundo lá de cima. Se você olhar para Eurídice antes de sair do meu reino, a alma dela voltará para o meio dos mortos e nunca mais poderá sair daqui.

Com a bênção de Perséfone, Orfeu e Eurídice partiram. Orfeu foi na frente, Eurídice seguiu atrás dele. As almas dos outros mortos afastavam-se para deixá-los passar.

Caronte, o barqueiro, já estava à espera para levá-los até a outra margem do rio Estige. Cérbero lhes deu passagem.

Orfeu não trocava uma palavra com Eurídice. Andava em silêncio por entre as sombras, sem se deter nem olhar para trás. Chegando à escada que levava à boca da caverna, Orfeu subiu os degraus ansiosamente, até alcançar a luz do sol.

– Chegamos, Eurídice! Finalmente você está de volta à vida! – Orfeu exclamou.

Feliz, ele se voltou para ver a esposa. Mas foi cedo demais! Eurídice ainda estava dentro da caverna. Só faltava um degrau para ela alcançar o mundo dos vivos. Pela última vez, o rapaz viu o rosto adorado de Eurídice. Ela o chamou, mas Orfeu já não conseguiu ouvi-la. Então Eurídice sumiu.

Dilacerado de tristeza, Orfeu se recolheu à região mais profunda da floresta. Tocava lira dia e noite, chorando e cantando a perda de Eurídice. Um grupo de mulheres acabou ouvindo sua canção.

– Ele é lindo! – murmurou uma delas. – E como é suave seu canto! Quero me casar com ele.

– Não, eu o vi primeiro! Ele é meu! – disse outra.

– Não posso me casar com ninguém – disse Orfeu. – Meu coração pertence a Eurídice, e ela se foi para sempre. Não posso amar ninguém mais, não tenho amor para dar.

Suas palavras enfureceram as mulheres.

– Não estamos pedindo seu amor. Sempre conseguimos o que queremos, e agora queremos você.

Orfeu não deu atenção a suas palavras e voltou a tocar sua lira.

– Como ousa nos rejeitar? – disse uma das mulheres, atirando um dardo contra Orfeu.

No entanto, o poder da música o protegeu, e o dardo caiu a seus pés.

Todas puseram-se a atirar flechas e dardos contra o rapaz, mas nenhuma de suas armas o feriu. Ele continuava tocando a lira e cantando para a esposa que perdera.

Desesperadas, as mulheres arrancavam os cabelos e arranhavam o rosto, berrando como animais selvagens. Seus gritos abafaram o som da música de Orfeu, que perdeu o poder de protegê-lo. Elas voltaram a atirar flechas e dardos, que dessa vez atingiram o alvo. Orfeu caiu morto, com centenas de ferimentos. As mulheres despedaçaram seu corpo e jogaram seus restos no rio, junto com a lira quebrada.

Apolo encontrou a lira de Orfeu flutuando no rio e a colocou no céu, ao lado das outras constelações. Até hoje ela brilha nas nossas noites.

Orfeu se foi, mas não devemos chorar por ele. Sua alma desceu ao mundo dos mortos e foi juntar-se à de sua amada Eurídice. Agora os dois estão juntos, para sempre.

JASÃO E O VELOCINO DE OURO

Esão estava cansado de ser rei da Tessália. Por isso cedeu a coroa a seu irmão, Pélias, mas impôs uma condição: quando Jasão, seu filho, chegasse à idade de governar, Pélias deveria entregar-lhe a coroa.

No entanto, quando Jasão se tornou adulto, Pélias recusou-se a renunciar ao trono.

– Você é muito inexperiente – ele disse ao sobrinho. – Precisa realizar uma grande proeza, alguma coisa que prove que está preparado para ser rei.

– Sei o que vou fazer – disse Jasão. – Trarei o Velocino de Ouro da ilha de Colcos. Se eu fizer isso, ninguém duvidará do meu direito de reinar.

Jasão convocou os jovens mais valentes da Grécia para acompanhá-lo. Alguns também se tornaram heróis legendários, como por exemplo Teseu, Orfeu e Héracles. Foram muitos os que atenderam a seu chamado, e Jasão mandou construir um navio para transportá-los. Esse navio era o Argo, e os heróis que viajaram nele foram chamados argonautas.

Depois de muitas aventuras, os argonautas chegaram à ilha de Colcos. Assim que ancoraram no porto, desembarcaram para levar seus cumprimentos ao rei Aetes.

– Vim buscar o Velocino de Ouro para levá-lo de volta a meu país – Jasão disse a Aetes. – Preciso provar que mereço ser rei.

– Tem o direito de tentar – disse Aetes. – Muitos vieram antes de você, e todos pagaram com a vida. Terá de enfrentar os mesmos desafios que eles. Em meu estábulo há dois touros que soltam fogo pelas ventas e têm cascos de bronze. Sua primeira tarefa será atrelar os dois a um arado e semear os dentes do dragão.

– Não tenho medo – disse Jasão. – Vencerei todos os desafios que me forem apresentados.

Os habitantes de Colcos aglomeraram-se nas encostas das montanhas para assistir à proeza de Jasão. Os argonautas temiam pelo companheiro, mas não podiam ajudá-lo, pois sabiam que ele teria de enfrentar a tarefa sozinho.

Os touros surgiram agitados, rasgando o chão com os chifres e queimando o capim com seu bafo de fogo. Seus cascos de metal estalavam nas pedras. Levando numa das mãos um punhado de cereal, Jasão avançou para eles, falando com voz suave e tranquila. Quando os touros se aproximaram para farejar o cereal, o rapaz começou a afagá-los atrás das orelhas.

Os touros pararam de bufar e pisotear e permitiram que Jasão lhes colocasse a canga. E logo os touros estavam puxando o arado através do campo, seguindo o comando de Jasão, como se fossem os bois mais mansos do mundo.

Os argonautas e o povo de Colcos davam vivas a Jasão. Aetes aproximou-se dele e lhe entregou um saco de couro.

– Você passou pela primeira prova – disse o rei. – Agora vem a segunda. Está disposto a semear os dentes do dragão?

– Estou – disse Jasão, pegando o saco e se preparando para começar.

Mas de repente uma voz gritou:

– Pare!

Era Medeia, filha de Aetes. Jasão já havia reparado nela logo que chegara a Colcos, e agora sua coragem havia conquistado o coração da moça.

– Ele é muito valente. Quero lhe desejar boa sorte – a moça disse ao pai.

– Faça o que quiser, mas não demore – disse Aetes.

Medeia pôs os braços em torno do pescoço de Jasão e fingiu beijá-lo, aproveitando para sussurrar-lhe ao ouvido:

– Você não conseguirá vencer sem isto – disfarçadamente, ela colocou uma pequena pedra na mão do rapaz. – É um talismã. Guerreiros brotarão dos dentes do dragão, e você deverá lutar contra eles quanto puder. Quando se sentir fraquejar, jogue esta pedra no meio deles. Poderei ajudá-lo a conseguir o Velocino de Ouro se prometer que me levará com você quando voltar para sua terra.

Na verdade Medeia era uma feiticeira capaz de desencadear forças poderosas.

– Prometo – sussurrou Jasão.

E ele saiu caminhando pelo campo arado, semeando os dentes do dragão. O chão começou a tremer e homens armados foram surgindo da terra. Os guerreiros do dragão levantaram suas espadas e se lançaram sobre Jasão, que os enfrentou em luta acirrada. Cada vez que ele matava um guerreiro, dois outros surgiam para substituí-lo. Jasão sentiu que suas forças estavam chegando ao fim, já não conseguiria lutar por muito tempo.

– Agora, Jasão! – gritou Medeia.

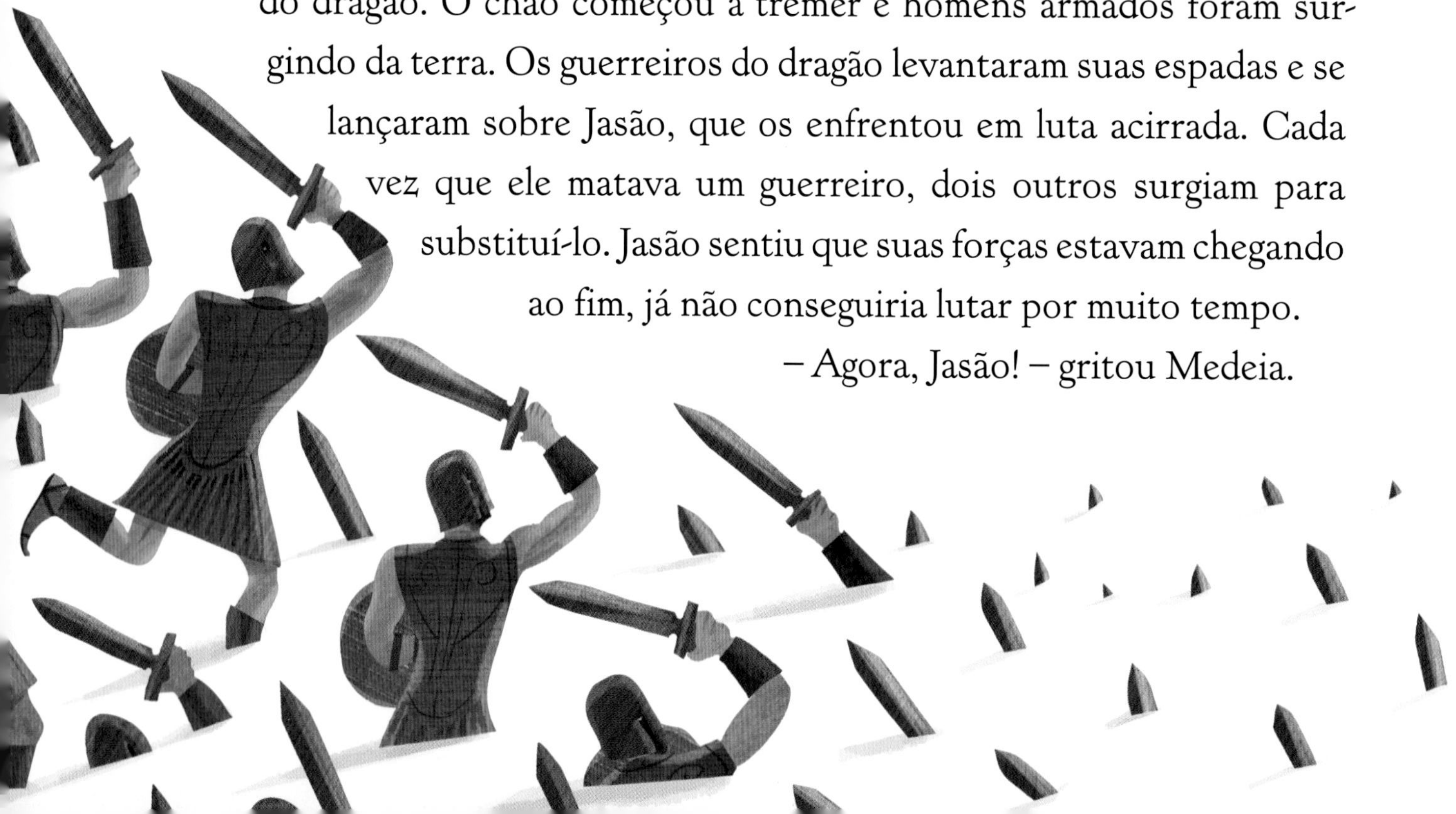

Ao ouvir a voz da moça sobrepondo-se ao barulho da luta, Jasão lançou o talismã no meio dos guerreiros do dragão. Na mesma hora eles deixaram Jasão de lado e começaram a lutar entre si, uns contra os outros. E só pararam quando estavam todos mortos.

– Agora só falta uma prova – disse Aetes. – De manhã você enfrentará o dragão para tentar tomar dele o Velocino de Ouro.

Medeia, no entanto, tinha outros planos. No meio da noite, ela foi ter com Jasão.

– Não espere até de manhã – ela o advertiu. – Meu pai não permitirá que você vá embora daqui, e sem minha ajuda você terá pouca chance de vencer o dragão.

– O que devo fazer? – Jasão perguntou.

– Diga a seus companheiros que preparem o Argo para zarpar e permaneçam todos a bordo. Só lhe peço que cumpra sua promessa de me levar junto quando partir.

– Claro que vou cumprir.

Medeia entregou-lhe um pequeno frasco de vidro.

– Vá agora enfrentar o dragão. Jogue este frasco na cabeça dele. Aqui dentro há uma poção que o fará dormir. Assim que ele fechar os olhos, pegue o Velocino de Ouro.

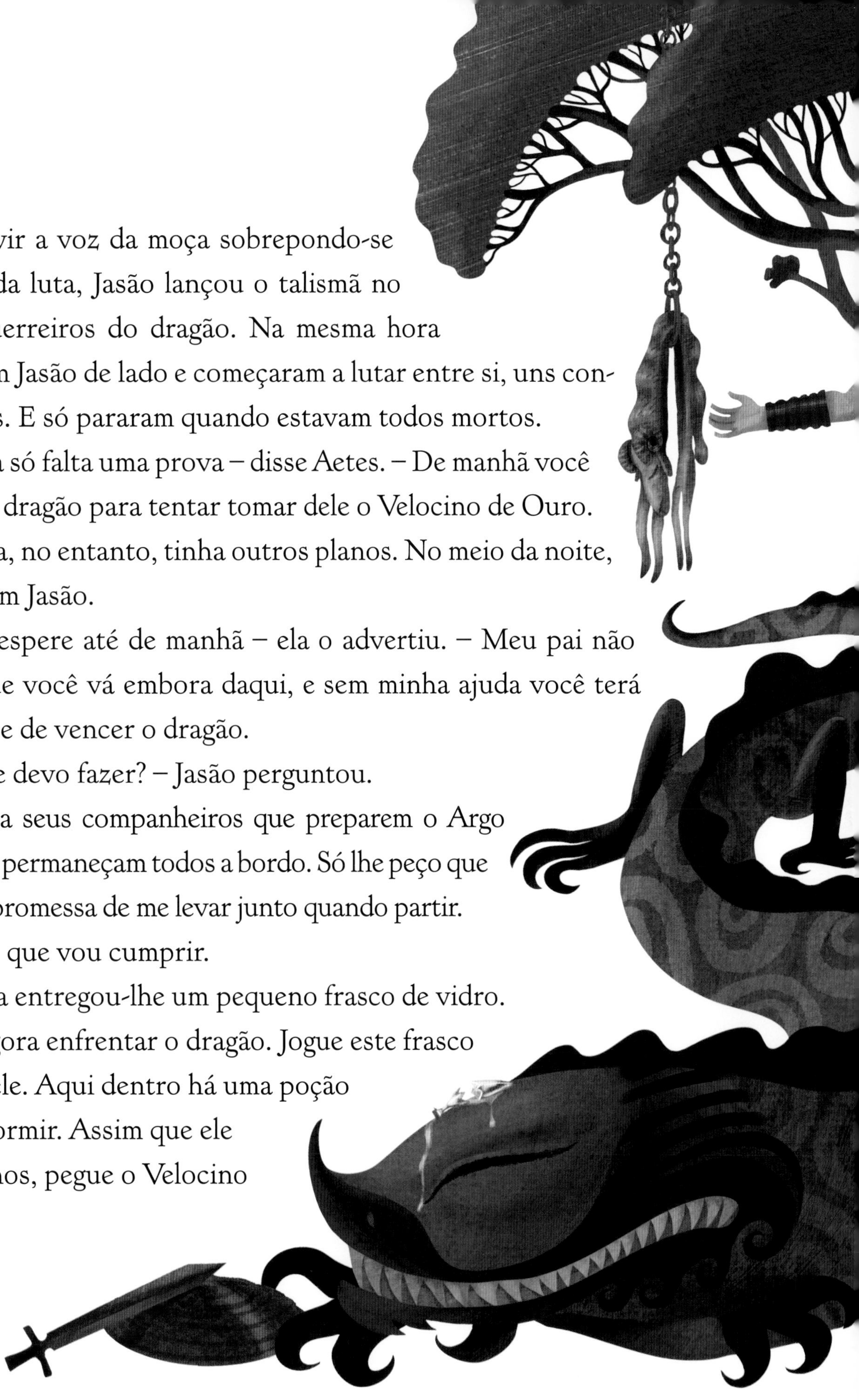

Jasão foi acordar os companheiros e pediu que se preparassem. Medeia embarcaria com eles no Argo, onde esperariam por ele.

Então Jasão partiu em busca do dragão, levando o frasco com a poção. Ajudado pela lua cheia que iluminava seu caminho, ele enveredou pela floresta sagrada. Logo avistou o dragão andando a passos largos entre as árvores. Viu o Velocino de Ouro pendurado nos galhos de um imenso carvalho, reluzindo sob o luar.

Jasão saiu das sombras. Assim que o avistou, o dragão avançou para ele. Jasão atirou o frasco contra sua cabeça, o vidro se quebrou e o dragão parou onde estava. Os olhos do monstro foram se fechando, sua cabeça inclinou-se para o chão e ele caiu, profundamente adormecido.

Jasão arrancou o Velocino de Ouro da árvore, colocou-o sobre os ombros e saiu correndo ao encontro dos companheiros. Saltou para dentro do navio e imediatamente os argonautas levantaram âncora.

Medeia invocou o vento, que fez inflar as velas do Argo. No entanto, um dos vigias do porto avisou Aetes, que logo depois partiu numa veloz galera de guerra em perseguição aos fugitivos.

Em pé na popa, Medeia viu o barco do pai se aproximar. Voltou-se para a lua cheia e disse:

– Grandiosa Hécate, senhora da escuridão, peço sua ajuda!

As estrelas sumiram. A lua escureceu. Uma nuvem densa envolveu o Argo. Quando a nuvem se dissipou, o barco de Aetes havia desaparecido e o Argo havia avançado muitas milhas.

Os argonautas voltaram à Tessália e foram recebidos pelo povo com grandes festejos. No entanto, Jasão estava pesaroso, pois encontrara seu pai doente, prestes a morrer.

– Não há nada que você possa fazer? – Jasão perguntou a Medeia.

– Posso devolver a juventude a seu pai – ela respondeu –, mas só se você tiver a coragem de fazer o que terá de ser feito.

– Farei o que você mandar – Jasão prometeu.

Medeia construiu um altar de pedras. Aquela noite, observada por Jasão e Esão, Medeia sacrificou um carneiro preto a Hécate. Colocou um caldeirão no fogo e começou a dançar, lançando na água fervente ervas, pedras e feitiços.

– Grande Hécate – ela invocou –, impregne minha poção com seu poder. Transforme fraqueza em força, velhice em juventude, morte em vida!

Medeia mergulhou na poção quente um galho seco de oliveira e, quando o retirou, ele havia se transformado num ramo verde, carregado de folhas novas e de azeitonas maduras. Então ela entregou uma faca a Jasão e disse:

– Agora é sua vez de agir. Mate seu pai!

Jasão se recusou:

– Como posso cometer um crime tão horrível?

Os olhos de Medeia faiscaram de cólera.

– Você não disse que teria coragem de fazer o que tinha de ser feito? – ela gritou, indignada. – Se não é capaz, faço eu!

Medeia pegou a faca e matou Esão. Drenou seu sangue, jogou seu corpo dentro do caldeirão e começou a mexer a poção fervente com o ramo de oliveira. Depois de um tempo, tirou o velho do caldeirão e deitou-o no chão. E, diante dos olhos de Jasão, seu pai foi se transformando. Seus cabelos brancos tingiram-se de preto. Sua boca encheu-se de dentes, os músculos de seus braços e pernas avolumaram-se e recuperaram as forças. Esão levantou-se do chão. O velho homem transformara-se num jovem vigoroso.

Jasão ajoelhou-se diante do pai e disse:

– Volte a ocupar o trono. O rei deve ser você.

– Não, filho. Estou cansado de ser rei – respondeu Esão. – Agora é sua vez. Vou exigir que Pélias lhe entregue a coroa.

Jasão tomou a mão de Medeia.

– Quando eu for rei, você será minha rainha.

Medeia o repeliu.

– Você não teve coragem de fazer o que mandei. É um covarde, como todos os homens. Não preciso de marido, não preciso de homem nenhum. Sou mais inteligente e poderosa do que qualquer homem que já tenha existido.

Na noite seguinte, as filhas de Pélias foram ter com Medeia.

– Nosso pai está velho e fraco, mas continua sendo o rei – elas disseram. – Não queremos entregar o trono a Jasão. Ajude-nos, Medeia. Devolva a juventude a Pélias para que possamos conservar o trono.

Medeia prometeu ajudá-las. Conduziu-as até o altar que havia construído. Pélias, que estava muito fraco para andar, foi carregado pelas filhas. Medeia sacrificou outro carneiro e colocou outro caldeirão para ferver. Quando a poção começou a borbulhar, entregou uma faca à filha mais velha de Pélias.

– Agora você sabe o que deve fazer – ela disse.

A moça enfiou a faca no corpo do pai.

– Dê-me essa faca. Sou tão forte quanto minha irmã – disse a segunda filha de Pélias, esfaqueando o pai novamente.

As duas moças ergueram o corpo de Pélias e o jogaram no caldeirão. Medeia entregou-lhes um ramo de oliveira e ordenou:

– Mexam o caldeirão com isto, até eu mandar parar.

Então Medeia fez uma prece silenciosa a Hécate.

– Senhora da escuridão, leve-me deste lugar. Não quero mais lidar com essa gente trapaceira e covarde.

Uma carruagem puxada por serpentes surgiu para buscar Medeia e a levou para as profundezas do céu noturno.

As filhas de Pélias continuaram mexendo o caldeirão, conforme Medeia havia ordenado, na esperança de trazer o pai de volta à vida e à juventude. E, se ainda não se cansaram, devem estar mexendo até hoje.

DÉDALO E ÍCARO

DÉDALO DE ATENAS foi o primeiro grande inventor de que se tem notícia. Inventou o serrote, o torno de cerâmica e o compasso. Muitas de suas invenções estão em uso até hoje.

Dédalo é mais conhecido pelos trabalhos de arquitetura que executou para Minos, rei de Creta. Em Cnossos, capital do reino, ele construiu um palácio real cujas ruínas podem ser vistas até hoje. Foi uma das mais belas construções do mundo antigo. E sob o palácio Dédalo construiu um incrível labirinto, uma rede intrincada de corredores e túneis, lugar perfeito para esconder tesouros e prender seres indesejáveis. Foi nesse labirinto que o rei Minos manteve preso o Minotauro, um ser monstruoso com cabeça de touro e corpo de homem.

Quem entrava no labirinto jamais conseguia sair e acabava morrendo à míngua ou devorado pelo Minotauro, a não ser que tivesse a chave mágica. E essa chave nada mais era que um novelo de linha. Amarrava-se uma de suas pontas à entrada do labirinto, e o novelo saía rolando, guiando a pessoa para que ela não se perdesse. Dédalo criou apenas uma dessas chaves e a entregou a Minos.

O rei Minos ficou muito satisfeito com os trabalhos de Dédalo e convidou-o a permanecer em Cnossos como seu hóspede de honra.

Deu-lhe dinheiro para construir um palácio para morar e ofereceu-lhe uma de suas filhas em casamento. O nome da moça era Naucrate. Dédalo amava muito sua esposa, e os dois tiveram um filho, a quem deram o nome de Ícaro.

Minos cuidava para que Dédalo e sua família tivessem tudo o que desejassem. No entanto, Naucrate morreu, deixando o filho ainda menino. A partir de então, Dédalo passou a desejar voltar para a Grécia. Fazia vinte anos que não via Atenas, sua cidade natal. Ícaro também ansiava por conhecer o mundo além da pequena ilha de Creta, do qual seu pai tanto falava.

Dédalo pediu permissão a Minos para partir, mas o rei negou, pois não queria que o maior inventor do mundo prestasse serviços para outras pessoas. Durante algum tempo, ele prendeu Dédalo e Ícaro no labirinto, para intimidá-los. Ao soltá-los, advertiu:

– Não tentem sair de Creta. Se eu descobrir que estão planejando fugir, os dois voltarão ao labirinto para sempre.

Dédalo teve medo, mas não desistiu da ideia de partir. Às vezes subia ao telhado de seu palácio para pensar numa solução. Lá embaixo via os navios ancorados na baía e concluía que, de fato, não havia como escapar pelo mar, pois os soldados de Minos vigiavam o porto o tempo todo e patrulhavam cada centímetro de praia. Que outra saída haveria?

Certo dia, Dédalo estava no alto do telhado quando viu um bando de gaivotas sobrevoando seu palácio. Com seus gritos, as aves pareciam estar caçoando dele.

– Podem rir à vontade, suas tolas – disse Dédalo. – Estão pensando que é fácil deixar esta ilha? Isso só é possível para vocês, que sabem voar.

E foi então que Dédalo teve uma ideia.

Durante meses, ele observou os pássaros que sobrevoavam a ilha. Percebeu que o ar quente que subia do mar fazia-os voar mais alto. Examinando os pássaros mortos, verificou o modo como as

penas, os ossos e os músculos se associavam para formar a asa. Dédalo fazia desenhos de asas. Ele e Ícaro começaram a recolher as penas de pássaros que achavam na praia.

Minos ficou sabendo das atividades dos dois e, preocupado, mandou chamá-los.

– O que estão aprontando? Se não me disserem a verdade, mandarei pai e filho de volta para o labirinto.

– Quero fazer um par de asas para Ícaro e para mim – Dédalo respondeu. – Vamos aprender a voar.

Minos caiu na gargalhada.

– Que ideia maluca! – ele disse. – Gente não voa! Isso é coisa para passarinho!

– Gente é capaz de fazer qualquer coisa. É só refletir e planejar – Dédalo replicou.

Minos dispensou os dois.

– Tudo bem, podem ir. Podem fazer asas à vontade. Estou tranquilo, pois sei que desse jeito vocês nunca sairão de Creta!

Dédalo sorriu, fez uma reverência e voltou ao trabalho.

Dédalo construiu dois pares de asas. Fez as armações de madeira e arame e as revestiu com cera. Enquanto a cera ainda estava mole,

enfiou nela as penas que ele e Ícaro haviam juntado. Ao endurecer, a cera as manteria coladas.

Dédalo e Ícaro esperaram com paciência. Certo dia, quando uma brisa forte soprava das montanhas para o mar, subiram ao telhado levando suas asas e as ajustaram aos braços e aos ombros.

– Abra os braços. Faça de conta que é um pássaro. Não bata demais as asas, deixe-se levar pela força do vento – Dédalo disse ao filho.

Ícaro estava tão ansioso que mal ouviu a última recomendação do pai:

– Não voe muito perto do sol. Se a cera derreter com o calor, as penas se soltarão e você cairá no mar.

– Estou pronto, pai – disse Ícaro. – Posso ir primeiro?

– Vá! – disse Dédalo. – Vá na frente, eu o seguirei!

Ícaro abriu os braços e saltou. Dédalo conteve um grito quando teve a impressão de que o filho ia cair, mas logo o ar impeliu as asas e Ícaro ganhou altura. Dédalo o viu subir, subir, até se transformar num pontinho escuro no céu.

Então Dédalo também abriu os braços e saltou. O ar o fez subir. Ele bateu as asas e saiu voando perfeitamente.

As gaivotas passavam a seu lado, certamente perguntando umas às outras:

– Que pássaro estranho é esse?

Dédalo olhou para o alto e viu que Ícaro não parava de subir, rumo à abóbada celeste.

– Aonde vai aquele menino? Está se aproximando demais do sol – ele murmurou. E levantou a voz: – Ícaro, volte!

Mas Ícaro estava longe demais e não o ouvia. Exultante por se ver tão perto do céu, o menino subia, subia sempre. Via lá embaixo a cidade de Cnossos, como se fosse um minúsculo formigueiro. E, cada vez que voltava a erguer os olhos, exclamava entusiasmado:

– Quero voar mais alto! Quero saber como os deuses veem o mundo!

Ícaro não percebia que estava se aproximando demais do sol. E não percebia que a cera de suas asas estava começando a derreter.

– Volte, Ícaro! – Dédalo chamou uma última vez.

Então, uma pena passou flutuando à sua frente. Depois foi outra, e mais outra.

– Ícaro! – Dédalo exclamou, ao ver o filho despencar do céu.

– Pai, me ajude! – Ícaro implorava, enquanto caía, caía.

Não havia o que fazer. Impotente, Dédalo viu o filho mergulhar no mar.

Dédalo voou para perto do mar e tirou das ondas o corpo inerte de Ícaro. Levou-o até uma ilha próxima e o enterrou no topo da montanha mais alta, o mais perto possível do céu. Hoje essa ilha se chama Icária, em homenagem ao menino que quis chegar ao céu.

TESEU E O MINOTAURO

MINOS FICOU INDIGNADO ao saber que Dédalo e Ícaro tinham fugido. Como Dédalo era ateniense, o rei de Creta resolveu punir o povo de Atenas.

Minotauro, monstro com cabeça de touro e corpo de homem, era mantido preso pelo rei Minos no centro do labirinto construído por Dédalo sob o palácio de Creta. Um dos problemas do rei era fornecer alimento ao Minotauro, que se nutria principalmente de carne humana. Assim, o rei Minos decretou que a cada ano a cidade de Atenas deveria enviar a Creta sete moças e sete rapazes para serem devorados pelo Minotauro.

Ano após ano um navio com velas pretas transportava as vítimas de Atenas para Creta. Ano após ano pais e mães atenienses choravam a desgraça de seus filhos, enviados tão jovens para servir de alimento ao monstro terrível. E ano após ano todo o povo ateniense chorava de vergonha por não ter forças para defender seus cidadãos do cruel decreto do rei de Creta. Acontece que Minos tinha um exército poderoso, e nenhuma cidade do mundo se dispunha a enfrentá-lo.

Egeu era então o rei de Atenas. Seu filho, Teseu, cerrava os punhos, enraivecido, cada vez que via o navio de velas pretas partir para Creta levando as jovens vítimas.

– Por quanto tempo mais deveremos nos submeter aos caprichos do rei de Creta? – Teseu perguntava ao pai.

– Se enfrentarmos o rei Minos, ele arrasará nossa cidade – Egeu respondia. – O sacrifício desses catorze jovens salva a vida de todos os demais cidadãos.

– Então sacrifique a mim – disse Teseu. – Por que o filho do rei pode ficar tranquilamente em seu palácio enquanto outras famílias são obrigadas a entregar seus filhos para serem devorados por um monstro?

– Você não sabe o que está dizendo – Egeu gritou. – É meu único filho. Se morrer no labirinto, quem será rei de Atenas depois de mim?

– Mas não pretendo morrer – disse Teseu. – Vou matar o Minotauro.

Assim, Teseu decidiu que no ano seguinte seria um dos catorze jovens atenienses a fazer a trágica viagem. No dia da partida, Egeu perguntou ao filho:

– Como saberei se você se saiu bem?

E Teseu combinou com o pai:

– Quando nosso navio voltar ao porto, observe suas velas. Se eu estiver morto, estarão içadas as mesmas velas pretas de sempre. Se eu estiver vivo, terão sido trocadas por velas brancas.

Egeu beijou o filho, que embarcou com os outros rapazes e moças destinados a matar a fome do Minotauro.

– Que os deuses protejam Teseu e todos os outros – o rei murmurou, quando o navio sumiu no horizonte.

Assim que desembarcaram em Creta, os jovens foram levados à presença de Minos.

– Algum de vocês deseja pedir clemência? – perguntou o rei.

– Você nunca ofereceu clemência antes, por que o faz agora? – replicou Teseu. – Preferimos morrer em pé a nos ajoelhar a seus pés.

As palavras de Teseu encorajaram seus companheiros, que o apoiaram. Estavam prontos a enfrentar a morte junto com ele.

– Sua vontade será feita – disse Minos. – Amanhã serão conduzidos ao labirinto. Vamos ver como fica sua valentia quando encontrarem o Minotauro.

Ariadne, filha de Minos, observava tudo escondida atrás de uma tapeçaria. A moça abominava a crueldade do pai, mas não conseguia se rebelar contra ele. As palavras de Teseu lhe deram coragem, e imediatamente ela pensou numa maneira de salvar a vida do rapaz.

À noite, depois que todos no palácio adormeceram, Ariadne esgueirou-se pelos corredores que levavam à torre escura onde estavam confinados Teseu e seus companheiros.

– Teseu, filho de Egeu, você está aí? – ela sussurrou.

– Quem está falando? – Teseu perguntou.

– Uma amiga – respondeu Ariadne, passando um pacote por entre as grades da porta. – Se quer salvar sua vida e a vida de seus companheiros, ouça com atenção o que vou dizer. Neste pacote há uma espada e um novelo de linha. Amanhã, amarre uma ponta da linha na entrada do labirinto e lance o novelo à sua frente. Ele o guiará à medida que você for avançando. Para voltar, bastará seguir o fio de linha desenrolado. Quanto à espada, ela será capaz de romper a força mágica que protege o Minotauro. Com ela, você conseguirá matá-lo. Agora, ânimo! Os deuses o protegerão!

– Quem é você? Como se chama? – perguntou Teseu.

– Sou filha do rei Minos. Meu nome é Ariadne.

Teseu e seus companheiros foram levados ao labirinto antes do amanhecer. Os guardas do rei Minos os incitaram a entrar, espicaçando-os com a ponta de suas lanças. Teseu levava a espada e o novelo de linha escondidos embaixo da capa. Sem que os guardas vissem, ele amarrou a ponta da linha a uma saliência da parede e lançou o novelo, que saiu rolando para guiá-los. Teseu e os outros atenienses, seguindo a linha que se desenrolava, afundavam-se no labirinto. À luz de suas tochas, viam pilhas de ossos e reconheciam farrapos das roupas dos amigos que haviam chegado a Creta um ano antes.

– O Minotauro deve estar por perto – ele disse aos companheiros, tirando a espada de baixo da capa.

Um rugido ecoou pelos corredores. Um vulto imenso surgiu diante deles, bloqueando o caminho. Os olhos da criatura brilhavam na escuridão. No alto de sua cabeça, despontavam dois imensos chifres pontiagudos. Teseu sentiu no rosto o bafo do monstro.

– Não tenho medo de você – gritou o rapaz. – Se quer briga, vamos lá! Venha, estou pronto!

Teseu ameaçou o Minotauro, que soltou um grito enfurecido. Teseu investiu contra ele com a espada em punho. Desferiu-lhe um golpe, depois outro, e outro, com toda a força. Finalmente, um berro sacudiu as paredes do labirinto. Teseu sentiu o sangue quente do monstro espirrar em seu corpo. A criatura imensa estacou, engasgou, e foi ao chão. O Minotauro estava morto.

Com um último golpe, Teseu cortou-lhe a cabeça.

– Matei o Minotauro – ele disse. – Vamos levar isto para nossa cidade. Vamos pendurar a cabeça do Minotauro no templo da deusa Atena, em agradecimento à sua proteção, que nos permitirá voltar sãos e salvos para casa.

Teseu e seus companheiros fizeram o caminho de volta, seguindo o fio de linha até a entrada do labirinto. Ariadne, que esperava por eles, logo os alertou:

– Depressa! Corram para o navio e embarquem antes que meu pai descubra que Teseu matou o Minotauro.

– Adeus, Ariadne – disse Teseu. – Nunca esqueceremos o que fez por nós.

– Meu pai vai me matar quando souber que ajudei vocês – a moça disse. – Minha vida está em suas mãos, Teseu. Leve-me com você.

Teseu pegou Ariadne pela mão e juntos eles embarcaram.

Quando soube que o Minotauro estava morto e que sua filha tinha desaparecido, o rei Minos mandou sua frota inteira atrás do navio de velas pretas, para trazê-lo de volta. Mas era tarde. Os atenienses já iam longe, levando Ariadne com eles.

Atena mandou bons ventos para a viagem de volta dos atenienses. Seu navio navegou a uma boa velocidade até a ilha de Naxos, onde eles aportaram para se abastecer de água e alimento. Enquanto os marinheiros trabalhavam, Teseu e Ariadne foram dar um passeio pela praia.

– Estou muito feliz – disse Ariadne. – Não vejo a hora de chegarmos a Atenas para começarmos a preparar nosso casamento.

Casamento? Teseu ficou perplexo. Não pretendia casar-se com Ariadne, apesar de ela ter arriscado a vida para salvá-lo. Teseu queria uma noiva que lhe trouxesse riquezas, e Ariadne havia perdido o dote do pai.

Ariadne deitou-se para descansar e acabou adormecendo. Teseu voltou correndo para o navio, dando ordens para que todos embarcassem imediatamente. Assim, logo eles zarparam e abandonaram Ariadne na praia.

Do alto do monte Olimpo, Atena viu a atitude covarde de Teseu.

– Ariadne o salvou do Minotauro, e é assim que ele agradece? – disse Atena. – Ariadne vai chorar muito quando acordar. Então também vou fazer Teseu chorar quando chegar a Atenas.

Atena lançou sobre o navio um feitiço de esquecimento, fazendo uma nuvem encobrir um detalhe importante que estava na mente de Teseu.

Depois de muitas semanas de viagem, o navio entrou no porto de Atenas. Sentado num rochedo, Egeu esperava pela volta do filho.

– Lá está ele – o rei exclamou, ao avistar o navio que havia algum tempo partira para Creta.

E as velas do navio eram pretas.

– Meu filho se foi, com todos os seus companheiros – Egeu soluçou. E na mesma hora se jogou no mar. Teseu viu o pai cair do alto do rochedo.

– Meu pai! – ele gritou.

Então o rapaz se lembrou do que havia combinado com o pai. As velas do navio não tinham sido trocadas. Eram as velas pretas que estavam içadas.

As palavras de Atena se fizeram realidade. Teseu chorou pelo pai assim como Ariadne tinha chorado por ele.

O que foi feito de Ariadne? Ela encontrou alguém que soube amá-la por sua bondade e por sua coragem. Um marido muito melhor do que Teseu poderia ser. Ariadne se casou com o deus Dioniso.

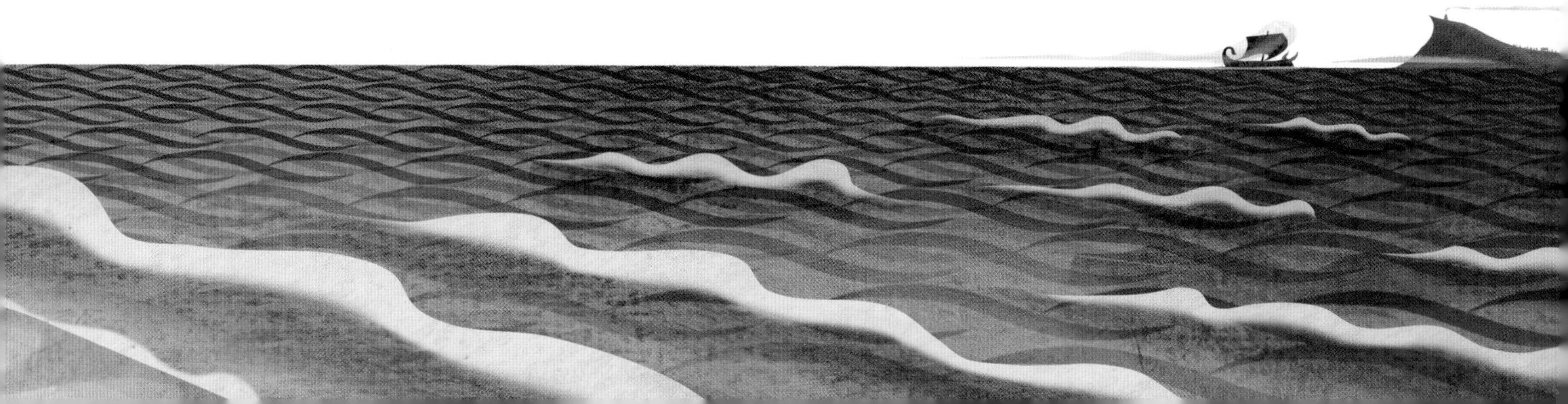

PERSEU E MEDUSA

PERSEU ERA FILHO DE ZEUS, rei dos deuses. Quando se tornou um jovem rapaz, Perseu saiu em busca de aventura, pois queria conquistar fama e glória, para provar que era digno de seu pai.

Perseu chegou a um país chamado Sérifo, e lá encontrou a terra nua e devastada. As árvores das florestas reduziam-se a troncos escuros, as pessoas escondiam-se em cavernas, com medo de se expor. A cidade estava destruída, suas construções tinham se transformado em ruínas carbonizadas.

– O que aconteceu com sua terra? – Perseu perguntou ao rei.

– Meu país vive sob a maldição de um monstro – foi a resposta. – Seu nome é Medusa. Outrora ela foi uma linda donzela. Mas um dia os deuses a ouviram gabar-se de sua beleza e fizeram cair sobre ela um terrível castigo. Suas tranças transformaram-se em serpentes asquerosas, e a bela Medusa transformou-se numa ogra assustadora. Hoje, quem olha para ela transforma-se imediatamente em pedra. Veja só o que ela fez com meu país. Tenha piedade, Perseu, ajude-nos a livrar-nos desse monstro!

Perseu prometeu que faria alguma coisa ou morreria. Mas onde encontrar Medusa? Como conseguiria matá-la se não poderia nem olhar para ela?

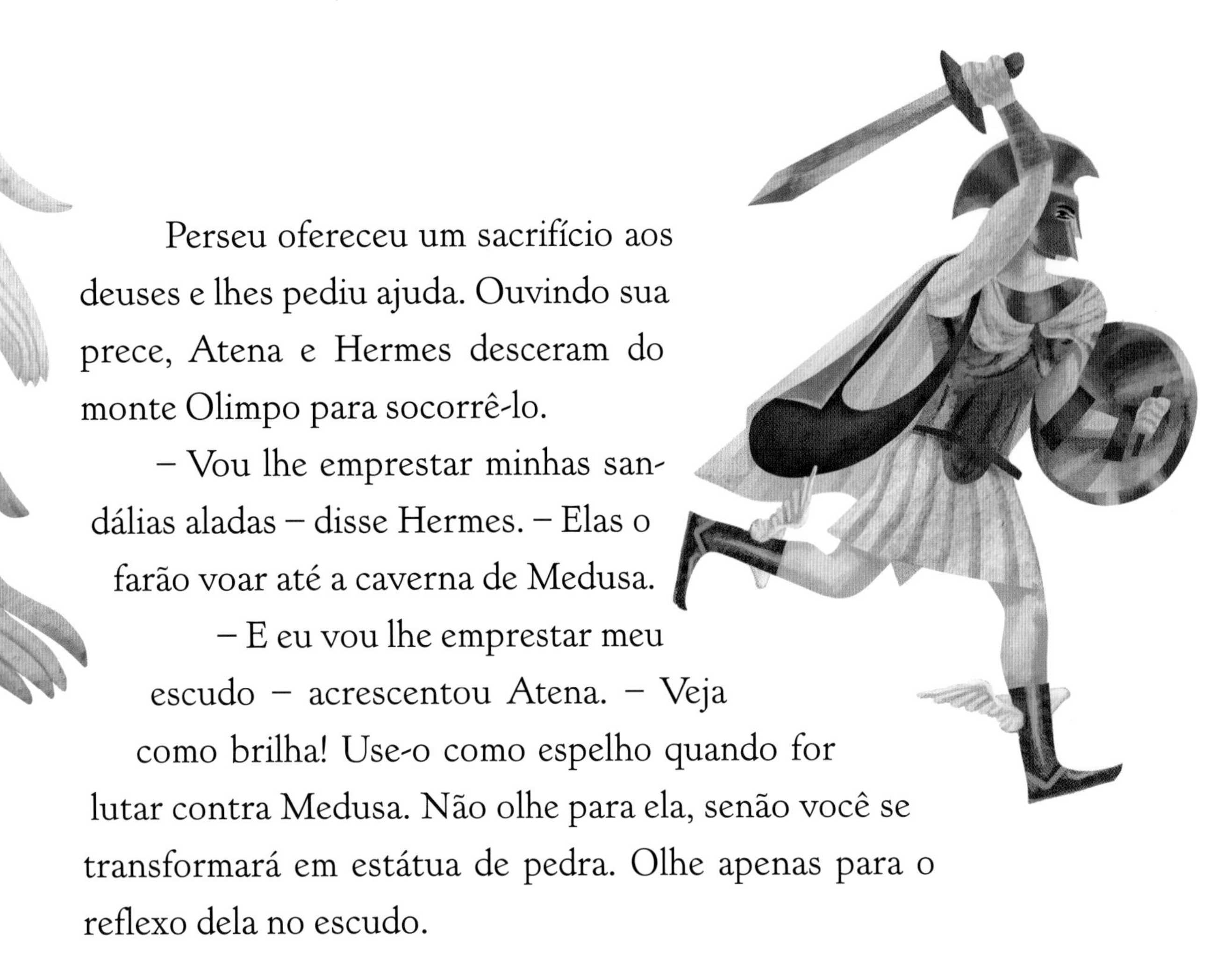

Perseu ofereceu um sacrifício aos deuses e lhes pediu ajuda. Ouvindo sua prece, Atena e Hermes desceram do monte Olimpo para socorrê-lo.

– Vou lhe emprestar minhas sandálias aladas – disse Hermes. – Elas o farão voar até a caverna de Medusa.

– E eu vou lhe emprestar meu escudo – acrescentou Atena. – Veja como brilha! Use-o como espelho quando for lutar contra Medusa. Não olhe para ela, senão você se transformará em estátua de pedra. Olhe apenas para o reflexo dela no escudo.

Perseu agradeceu o empréstimo aos deuses. Calçou as sandálias de Hermes e atou o escudo de Atena ao braço esquerdo. Segurando a espada com a mão direita, gritou:

– Leve-me até Medusa!

As sandálias bateram asas, ergueram Perseu no ar e o carregaram através das terras de Sérifo. Ao sobrevoar uma cadeia de monta-

nhas, Perseu avistou uma fumaça que saía de uma caverna e desceu para ver o que era. Ao se aproximar, viu um amontoado de estátuas e, de repente, se deu conta de que eram corpos de pessoas que, tentando lutar contra Medusa, tinham virado pedra.

Perseu ajustou o escudo de modo que pudesse ver refletida nele a entrada da caverna. Então ele chamou:

– Medusa, sou eu, Perseu, filho de Zeus! Venha lutar comigo!

Um chiado se elevou no ar e o monstro apareceu na porta da caverna. Seu cabelo era um emaranhado de serpentes. Escamas verdes cobriam seu corpo, dos pés à cabeça. De seus dentes arreganhados escorria veneno, e suas unhas eram garras afiadas.

– Perseu, filho de Zeus – ela sibilou. – É esse o seu nome? Não posso me lembrar dos nomes de todas as pessoas que vieram me desafiar. Mas me lembro de seus rostos, pois os vejo todos os dias, esculpidos na pedra.

Medusa deu uma gargalhada longa e estridente. Ela soltava fumaça pelas narinas e cuspia chamas na direção de Perseu. Graças às sandálias aladas, ele se desviava do fogo.

– Por que não olha para mim, Perseu? – Medusa disse. – Tem medo de ficar ofuscado pela minha beleza?

– Ofuscado, sim, mas não por sua beleza! – replicou Perseu. – Enxergue-se! Olhe-se no espelho! Mas cuidado para não se transformar em pedra!

Perseu ajeitou o escudo de Atena de modo que Medusa se visse refletida. O monstro guinchou. As serpentes se agitaram, cuspindo veneno.

– Como ousa zombar de mim? – gritou Medusa. – Já fui muito bonita, e vou voltar a ser!

– Não terá tempo para isso – e Perseu fixou os olhos no rosto de Medusa refletido no escudo. Levantou a espada e atacou. A cabeça de Medusa voou-lhe dos om-

bros. Os xingamentos morreram em seus lábios. Cheios de ódio, seus olhos saltaram das órbitas. E, uma a uma, as serpentes de seus cabelos foram se imobilizando.

Mesmo depois da morte, o rosto de Medusa conservava o poder de transformar as pessoas em pedra, por isso Perseu teve o cuidado de não olhar para ela. Desviou os olhos ao pegar a cabeça da criatura monstruosa e colocá-la dentro de um saco de couro. Depois ele levantou voo e prosseguiu sua

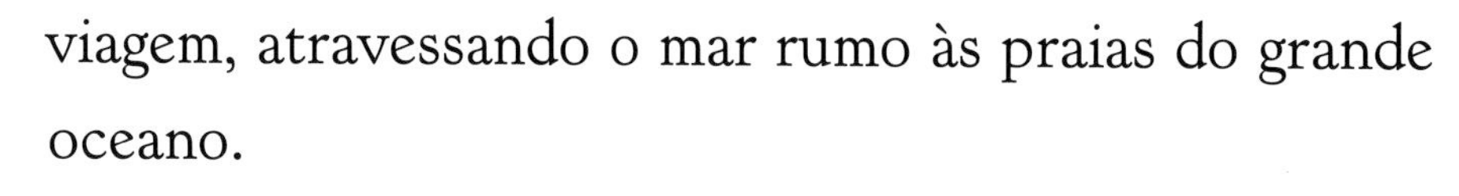

viagem, atravessando o mar rumo às praias do grande oceano.

Um enorme rochedo surgiu das ondas. Perseu ouviu alguém gritando por socorro e desceu para ver quem era. Viu então uma bela moça acorrentada ao rochedo.

– Quem é você? – ele perguntou. – O que está fazendo aqui?

– Meu nome é Andrômeda – a moça respondeu. – Meu pai é rei deste país. Ele se chama Cefeu, e minha mãe é Cassiopeia. Ela irritou os deuses ao se vangloriar de sua beleza e eles mandaram um dragão para destruir nosso litoral. O monstro devorou cidades inteiras, centenas de pessoas perderam suas casas. Meus pais suplicaram aos deuses que perdoassem seu ato de vaidade e nos salvassem do dragão.

– E qual foi a resposta dos deuses? – Perseu perguntou.

– Ordenaram que meu pai sacrificasse sua filha, entregando-a ao dragão – Andrômeda contou. – Meus pais relutaram em aceitar, mas não tiveram escolha, pois nosso povo estava sofrendo muito. Então eles me trouxeram até este rochedo, e aqui estou eu, à espera do dragão.

– Não tenha medo – disse Perseu. – Vou salvá-la. Quando vai chegar o dragão?

– Já chegou! – gritou Andrômeda.

Perseu virou-se bem a tempo de ver uma cabeça imensa saindo do mar. Cracas grudavam-se às escamas do monstro, algas pendiam de sua mandíbula.

O dragão investiu, mas, com a ajuda das sandálias aladas de Hermes, Perseu mantinha-se fora do alcance do monstro.

"Não posso deixar que esse ser monstruoso faça mal a Andrômeda", Perseu pensou. "Poderia transformá-lo em pedra mostrando-lhe o rosto de Medusa, mas então a vitória não seria minha. Preciso vencê-lo por meu próprio esforço."

Perseu empunhou a espada e investiu contra o dragão. Era uma luta muito desigual. O dragão cuspia fogo em Perseu, que tentava se proteger com o escudo de Atena. A luta se prolongou por muitas horas. Andrômeda pedia que Perseu fugisse, dizia que o dragão era forte demais e que ninguém poderia fazer nada por ela. Mas Perseu persistia.

– Se eu não puder salvá-la, vamos morrer juntos – ele jurava.

Perseu sentia-se cansado. As escamas do dragão eram como uma armadura de bronze, e sua espada não conseguia penetrar nelas. De repente, no entanto, o rapaz percebeu que embaixo do pescoço do dragão havia uma região em que as escamas eram mais ralas e deixavam uma falha de menos de um dedo. Seria suficiente para deixar passar a espada?

Perseu voou para debaixo do dragão. O bafo de fogo do monstro roçou-lhe o rosto e quase o cegou, mas Perseu não desistiu. O rapaz acabou conseguindo acertar o ponto desprotegido do pescoço do dragão, afundando-lhe a espada na garganta.

Um rio de sangue jorrou do ferimento e, com um gemido atroz, o monstro afundou nas ondas para sempre.

Perseu arrebentou as correntes de Andrômeda e, carregando-a nos braços, rumou para o palácio do pai da moça.

Cefeu e Cassiopeia choraram de alegria ao ver que a filha estava salva.

– Como poderemos recompensá-lo? Todos os tesouros de nosso reino serão seus – eles disseram a Perseu.

– Só quero um tesouro – disse o herói –, a mão de sua filha.

Andrômeda e Perseu se casaram. Quando a festa estava no auge, a porta se escancarou e um bando de homens armados com lanças e espadas irrompeu no salão.

– Quem são vocês? – indagou Perseu. – Se vieram se juntar à festa, sejam bem-vindos. Se vieram causar distúrbios, advirto-os de que minha espada está a meu lado. Estou pronto para defender minha esposa.

– Meu nome é Fineu – disse o chefe do bando. – O pai de Andrômeda a prometeu para mim muito antes de você aparecer.

– Por acaso tentou resgatá-la enquanto estava acorrentada ao rochedo? – perguntou Perseu. – Não, é claro. Naquele momento você a esqueceu. Pois pode esquecê-la agora também. Andrômeda é minha esposa, e não desistirei dela por nada.

– Então vou levá-la à força! – disse Fineu, empunhando a espada e investindo contra Perseu, acobertado pelos amigos.

– Não fugirei desses covardes nem mancharei minha espada com o sangue deles – disse Perseu. – Usarei o poder de um inimigo para derrotar o outro. Amigos, tapem os olhos!

Dizendo isso, ele tirou a cabeça de Medusa do saco de couro e a ergueu diante de Fineu e de seus companheiros. Na mesma hora, todos eles se transformaram em pedra.

A festa de casamento se prolongou pela noite toda. Na manhã seguinte, Perseu e a esposa se mudaram para um palácio só deles. Ficava no alto de uma colina, com uma vista maravilhosa e belos jardins cheios de plantas, flores e também com algumas estátuas bem diferentes.